凝煉知識品味閱讀

桂文亞
中小學生
讀與寫引導課 1
新鮮的文字功力
桂文亞——著
五南圖書出版公司 印行

作文其實沒有想像中的困難。

課餘多背誦唐詩宋詞，閱讀世界名著、漫畫，只要引起你好奇和興趣的題材，甚至不同個性的朋友，觀察一朵花的綻放，兩隻貓互相追逐，看得多了，就會打開心胸，寬闊眼界，你的思維改變了，下筆「如有神助」，信也不信？

桂文亞 民國一一二年
元月十三日

目錄

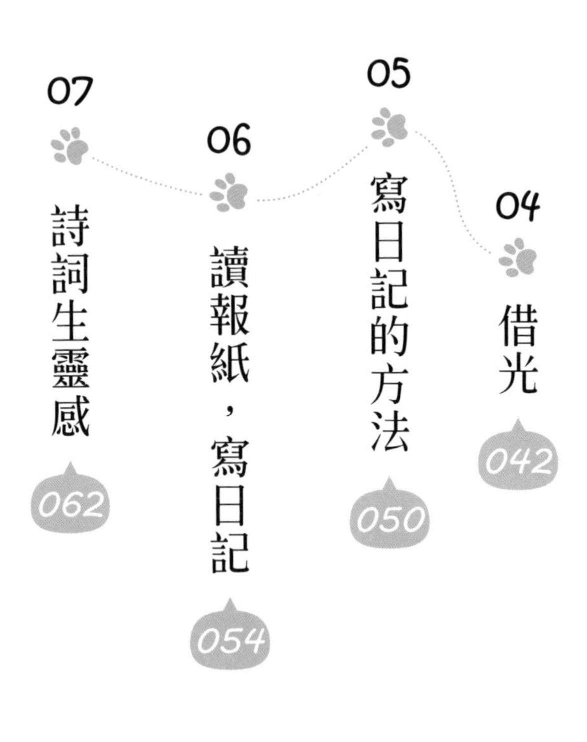

附錄　思想貓陪你讀散文

105

桂文亞中小學生讀與寫引導課1

新鮮的文字功力

從「扶把練習」開始

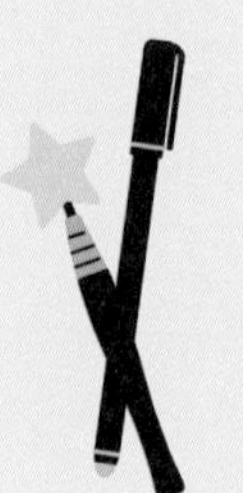

荒野密林深處，一群穿著白色薄紗衣裙的美麗少女在湖畔翩翩起舞。這是奧傑塔公主和她的女伴們，由於受到惡魔詛咒，將她們變成天鵝，只有在短暫的夜半時分才能恢復人形。解除魔法的唯一可能，是公主等到一份堅貞不移的愛情，一位勇敢戀人的解救。

優美的肢體律動，似一條透明輕紗，在霧色深重的綠林裡緩緩飄揚，憂鬱的公主與少女，隨著夢中的音符旋轉，她們踮動足尖，揚起的雙臂似風吹細柳，輕輕一躍掠過地面，只有天鵝才如此輕巧，只有仙女才這麼飄逸……。

王子的出現似一枝響箭，射中寂靜的湖心。他單腿直立，一腿往後伸直，伴隨著飛躍的舞姿，或平穩旋轉，或矯健翻身，兩腿迅捷地在空中交錯。

奥吉莉雅是惡魔的女兒，前來迷惑王子，阻撓他破解魔法，三十二個連續不斷的旋轉動作，讓台下所有的觀賞者不禁鼓掌叫好！

這是古典芭蕾舞劇經典之作《天鵝湖》的演出，芭蕾舞者在柴可夫斯基

撼人心弦的交響樂中，以細膩優美的肢體語言，詮釋出人們忍耐痛苦、追求希望的高尚情操。

欣賞芭蕾舞，首先得從扶把練習開始了解，這是基本動作訓練的第一步，訓練出腿肌的彈性和腳掌的柔韌；訓練腰部的控制力使雙腿能靈活動作；訓練身體的柔軟度，使身體與動作協調配合；光是「腳步的五個基本動作」，一個個正確無誤，起碼得練習兩年！

其實不只舞蹈，學習好任何一件事物，都得先從基本動作開始。想把畫畫好，就得一筆一筆打下素描根底；想把鋼琴彈好，就得勤練指法、琴譜；如果一個學畫的人連西瓜都畫不像，又怎能用滋潤的紅和欲滴的綠，來呈現夏日瓜果的甜美和豐盛感呢？以這個道理推衍，彈琴、唱歌、跳舞，都有一套按部就班的嚴格紀律，根基打好了，才能談到「更上層樓」，這點道理並不難懂，難的是怎麼「做」，這就非得「有恆」加上「用功」了。

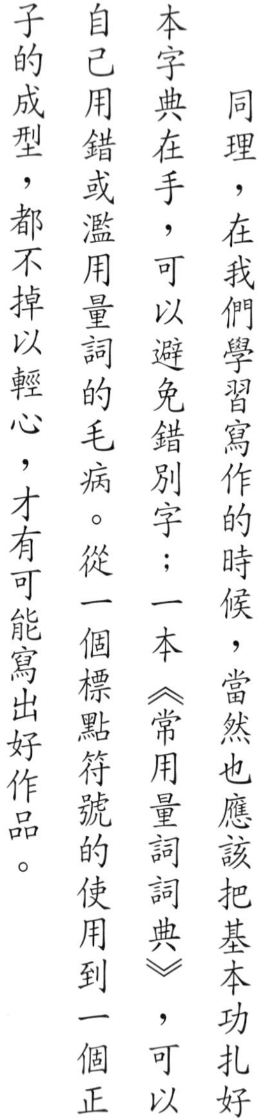

同理，在我們學習寫作的時候，當然也應該把基本功扎好。一本字典在手，可以避免錯別字；一本《常用量詞詞典》，可以改正自己用錯或濫用量詞的毛病。從一個標點符號的使用到一個正確句子的成型，都不掉以輕心，才有可能寫出好作品。

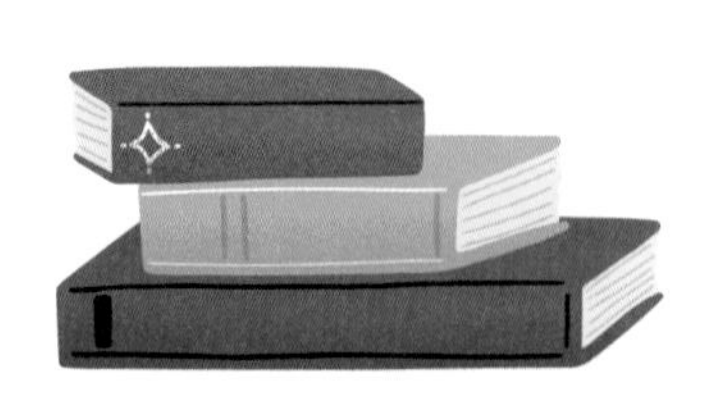

寫作小筆記

寫作並不等同於「想要當一個作家」，寫作是一種頭腦的運動，鍛鍊的是自己的思想、組織和邏輯的能力。當別人笑你「居然想寫作」或者「夢想當一個作家」的時候，是因爲對方尚不明瞭寫作的真正價值與意義所在。相信你的選擇！

標點符號也很重要

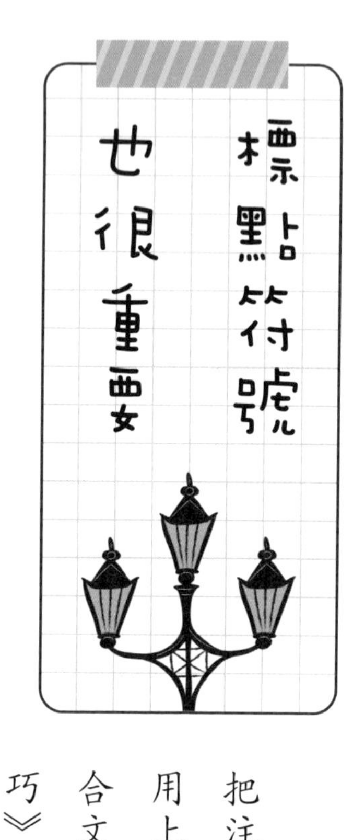

我們作文的時候，較少把注意力放在標點符號的使用上，可是當我看了道聲百合文庫出版的《編寫譯的技巧》，意外地從已故散文大家余光中教授的一篇演講稿：〈談散文寫作技巧〉中，發現他特別強調了標點符號的重要。這本書一共收錄了十五位名家的編寫經驗談，卻只有余先生談到了標點符號的重要性。

我曾經兼任過專科學校十年國文老師，感到教學上最費神的，就是作文課的習作講評了。

通常，我會選出一篇「缺點最多」的作文，作爲「範本」，然後逐字、逐句、逐段地分析和提示，我發現：同學們寫作普遍的毛病，不僅是主題內容的傳達或文字組織，往往連分段、斷句甚至標點符號的使用也常會出錯。

這個時候，我多會引用余光中老師的教學觀點：

標點是重要的東西。我的看法是：英文用標點是爲文法，中文用標點是爲文氣。英文文法比較緊湊，所以往往一句長句，無需多用標點；中文文法自由，一句之中段落何在，有賴標點。我有不少朋友，英文很好，寫起中文來，也不壞，唯一的毛病是，捨不得用標點。另外一個毛病，甚至於不少「名作家」也有這個現象，就是

一路打逗點，不論思想是否已告一個段落，往往要等半天，才看到一個句點。像這樣的標點法，給人的感覺，就像聽音樂的時候，速度從來不變，段落永無交代。

因此我對同學一再強調：「正確使用標點符號，是寫好一篇文章最基本的條件，路還沒有走穩，學飛是不成的。」

如果我們把一篇文章形容成一首樂曲，那麼標點符號就是這首曲子的節拍。節拍有高、低、強、弱之分，處理得宜，可以使文章的段落、層次分明；使文句有感情、有動作，甚至鏗鏘有力！

通常，我也會說幾個與標點符號有關的小故事，加強同學的印象。

最簡短的，是有一個人到朋友家作客的老笑話：

主人因爲不想招待老不告辭的客人，便寫下：「下雨天留客！天留？我不留！」沒想到這位老兄還有點兒國文程度，把標點稍一修改，就變成了：「下雨天，留客天，留我不？留！」

還有一位鄉下婦人，一天晚上作了個夢，夢見自己家裡釀的酒變酸了，不得不當作醋賣；接著又夢見家裡的幾十頭豬，因爲偷吃了別人的東西全被打死，自己不但吃上了官司，還就此變窮了。

婦人的丈夫是個迷信的人，聽了這噩夢不禁大爲緊張。

他想起自己有一次也作過一個夢，夢見住的房子倒塌了，損失慘重。爲了消災避禍，便寫了「心安茅屋穩」五個字，貼在廳堂上，藉著客人的福口念一念，後來也就沒事了。

「這樣吧！我再寫幾句話貼在廳堂上，也好一避惡兆。」結果他一共寫了三十三個字，竟然沒有一個標點：

今年好煩惱少不得打官司釀酒缸缸好做醋格外酸養豬隻隻大如山老鼠隻隻死（講到這兒，你不妨先玩個標點符號斷句的遊戲，看看自己理解的程度。）

以我的說法，如果加上標點符號，意思應是：「今年好，煩惱少，不得打官司；釀酒缸缸好，做醋格外酸；養豬隻隻大如山，老鼠隻隻死。」

可是沒想到，有一天，他的外甥來拜訪，一看到廳堂上的這三十三個字，隨口就這樣念下來：「今年好煩惱，少不得打官司；釀酒缸缸好做醋，格外酸；養豬隻隻大如山老鼠，隻隻死。」這一來，意思可就完全相反啦！

於是，這對夫婦提心吊膽的，常常把酒缸打開，嘗嘗酒的味道，酒因此變酸了；又因爲怕打官司，不敢把豬放出豬欄，無心好好養，所以豬也老是養不肥。

哈！類似的故事還不少，不但可以當作趣談，也可以說是有趣的標點符號示範教材了。

不過，標點符號的用處，畢竟不是拿來遊戲的。

雖然看似很簡單，反正是一路的「，，，」到結尾時加一個「。」也無不可；但是沒有它的時候呢？或是錯用的時候呢？卻必然像發了酸的牛奶——「不是味兒」啦。

新式標點符號一覽表

逗號 ，	句號 。	頓號 、
分號 ；	冒號 ：	引號 「」或『』
問號 ？	驚嘆號 ！	破折號 ——
夾注號 — — 或（）	專名號 ＿＿	書名號 ﹏﹏ 或《 》
刪節號 ……	音界號 ‧ （如瑪麗‧珍妮絲）	

要認識標點符號不難，比較難的是如何正確使用；可是仔細想想，也並不難。

一般人使用標點符號之所以出現問題，關鍵還是在於：

1 不確知標點符號與文章的好壞也有關係。

2 上作文課時，很少有機會接觸「正式」而且完整的標點符號使用說明與欣賞。

這似乎是老師本身也不太在意標點符號的精確性和重要性。

多年前，我曾經在母校「世新大學」教過國文及「新聞採訪與寫作」課程，其中有幾個原則，似乎也頗適用於初習作的人：

一、要求同學用正確的語體文寫作。

也就是說，要先學會「想怎麼說就先怎麼寫」。

說話人人都會，說話的時候，一定會有段落，譬如說到疑問處，聲音會提高（這就是標點符號「？」和「！」的用法）；說到生氣處，呼吸會急促（標點符號「！」的用法）；如果只是敘述一件事情的始末，也就心平氣和了（標點符號「，」、「、」和「。」的用法）。

語體文的寫作，其實是一種自然寫作法。

我們先別忙著學「修辭」、「組句」，不妨先集中一個主題，把自己想說的一小段話，逐字逐句地寫出來，然後就著自己的「感覺」，標出標點。

舉一個簡單的例子：譬如有一個小朋友形容自己的爸爸：「我的爸爸今年四十九歲長得高高瘦瘦的嘴上有兩撇鬍子他穿起西裝就像將軍一樣神氣爸爸最偏食了他只愛吃肉不吃青菜每當吃飯時都大叫說我要吃肉肉肉」

這時候，就可以讓寫這段文字的孩子先照著好好「說」一遍（要指導他用「感覺」和「感情」來說，而不只是死板板用「念」的）。如果他能夠有條有理，斷句清楚，那麼八成就可以標出正確的標點符號了：

「爸爸今年四十九歲，長得高高瘦瘦的，嘴上有兩撇鬍子，穿起西裝，就像『老闆』一樣神氣。

爸爸很偏食，他只愛吃肉，不吃青菜，每當吃飯時，都會大聲的說：『我要吃肉，肉，肉！』……」

二、學習分段寫稿子，可以使敘述的內容更清楚、明白。

在這個層次上，首先可以脫離「速度從來不變、段落永無交代」，上氣不接下氣的缺點。

通常小學生的一篇作文，約在五、六百字上下，所以依照「黃金分割律」，每段不宜太長，差不多五十到一百五十字（含標點符號）就可以分個段落了。

這樣的習作法，主要也是練習「節奏感」，不要老是原地踏步，從頭寫到尾。

至於段落的次序，應先把重點抓出來（集中主題，思考這篇作文到底要說些什麼），然後用這句話作爲導言，在次段一一描述細節。對一個初習作的人而言，如果能掌握住這個原則，至少可以避免「前後不分」。

至於使用標點符號，較常見的錯誤是：

驚嘆號「！」

驚嘆號是最能夠表情達意的一種「情緒符號」，但也許因爲一個驚嘆號不足以顯示情緒，許多人喜歡自行增加它的次數。

譬如：「我居然中了第一特獎！」使用一個驚嘆號是正常的。

把它寫成「我居然中了第一特獎！！」或是「我居然中了第一特獎！！！」

這是不正確且多餘的。

至於將「？」與「！」並列成「我居然中了第一特獎？！」就是違規使用了。

標點符號當然有它的規則和用法，就像文字一樣，多一撇少一捺，都不對。

引號「」的使用也是常見的錯誤之一。

例如：「媽媽，我的命很甜！」「什麼？」「命甜！我有吃、有穿、有住、有行……。」「有行？」我大惑不解，我們家並沒有車——連腳踏車也沒有。

很多人在寫對話的時候，不是一路「」到底，就是完全不用「」而只用「：」代替。

正確的對話寫法應該是：

「媽媽，我的命很甜！」

「什麼？」

「命甜！我有吃、有穿、有住、有行……。」

「有行？」我大惑不解，我們家並沒有車——連腳踏車也沒有。（選自張曉風《詩詩、晴晴和我》）

對話的分行，也是一種標點符號用法，讀起來一目了然，不會有壓迫感，視覺上也較清晰。

用法。

對一般習作者來說，最複雜的一種標點符號可能是分號「；」的用法。

分號有很多種用法，但常用的約有三種類型：

1 兩個獨立的句子，在文法上雖然沒有連接，但在意思上是相連的。

★例句：我想，人魚公主這種自然的真情，是最美最純的奉獻；天底下有多少人能夠像她那樣呢？

2

一個複句如果有兩個以上的子句，兩句中間就可以用分號來分開它們。

★例句：他這個人，優點是好脾氣，不容易生氣；缺點是馬馬虎虎，凡事不求甚解。

3

句子中有平列或對比的句子時，可以用分號分開。

★例句：輕輕的，風，輕輕的吹著；香香的，花，香香的開著。

★例句：我的鼻子扁，爸爸的鼻子高；爸爸的腳很大，買鞋需要訂做；我也是大腳丫，鞋子也穿特大號。

分號雖然有它的效果，可是不像一篇文章非得有「，」和「。」組成，所以也沒有絕對的必要，如果不會使用，不如不用。

其實，對任何一個開始習作的人來說，任何方式的傳授，都是其次的，最重要的，不如先多讀多看，像標點符號也一樣，看多了，看熟了，自然就學會了。

寫作小筆記

寫作可以幫助我們成爲一個頭腦清楚的人，但是如果不能養成習慣，無助於頭腦的「健康」。天天寫，字數不拘、時間不拘、地點不拘，只要養成習慣，寫什麼都可以。它將成爲我們生命中珍貴的紀錄。

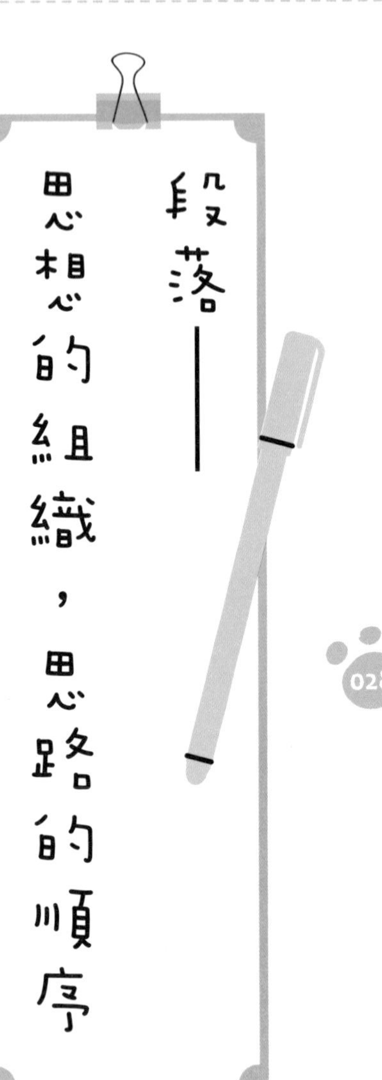

段落——思想的組織，思路的順序

如果我們把一篇文章比喻作人體，那麼，標點符號就是組成人體的「關節」，而「段落」就是人體的各個重要部位（頭、四肢和身體）。

人體缺乏關節，一定動彈不得；缺乏了任何一個部位，也等同於「殘疾人」，是不完整的。

當然我們也看過沒有標點、沒有段落的文章，可是那是古文（尚且需眉批呢），早已不符合現代文體的要求；我們也看過沒有標點、缺少段落的現代文，可是，有幾個人看得懂？誰又耐煩來看？

如果，每篇文章都是一副完整的人體，把人體做一個分析，它的基本成分應該是細胞、血液、骨骼、肌肉和器官等組成的，這也就相當於「積字成詞、積詞成句、積句成段、積段成文」的說法了。

你看過一個人體畫家畫人是先從腳趾甲畫起的嗎？或是一張人臉，是先從鼻孔畫起的嗎？所以從寫作的過程來說，也一樣要按部就班、循序漸進。

當我們積詞成句後，就要積句成段了。段，是整篇文章思想的一部分，它一方面串連全文的主題，一方面也是獨立完整的個體。

譬如我們描寫一張人的臉，「臉」，就是這篇文章的主題，你在下筆前，勢必要安排一個順序。

1 這人長的是一張什麼樣的臉？友善的？滑稽的？還是冷漠的？

2 什麼原因使他看起來是那麼友善、滑稽或是冷漠？

3 是因為他的五官給人的印象（三角眼、鷹勾鼻、薄成一線的嘴唇）？因為他慣常的表情（喜歡瞇著眼微笑、斜眼盯人、皺鼻、努嘴）？還是因為他的言行影響了那張臉？

4 從一個人的外表究竟看出了什麼？（知人知面不知心，還是面如其人？）

法國文學家莫泊桑初習寫作的時候，曾向小說家福樓拜請益，福樓拜要他回去觀察一百個人，每個人用一篇短文描寫出來，再拿給他看。結果，當福樓拜看了莫泊桑所交的功課後，說：「你寫作的基礎已經打好了，繼續努力一定會成功的。」

這也就是說，所謂的標點、段落，表面上看似一種形式、一種規矩，實質上，也是一個作者內在思想的「形於外」。標點是跟著思想和情緒走的，思想到哪兒，它就到哪兒，情緒也很自然跟著存在。否則，如果一篇文章，只是浮凸著一個標準的外殼，又有什麼意義呢？

不過，對於一個初習寫作的人來說，理論不如實際操作。當我們自我訓練「思考進行的順序」之前，不妨反覆舉例，練習「思考的組合能力」。

建議一：先選幾篇六百字以內的短文，調換段落，反覆練習重組。

要注意的一點是，在選擇範例的時候，一定要是結構完整、段落分明的小品文，才能加強學習的印象。進行練習時，應不斷地問「爲什麼」，自己試著說出理由，漸漸就能體會出文章「起」、「承」、「轉」、「合」的運用了。

範例：我們是吸塵器

1 那一次共分的半塊包麵，竟是我們吃得最舒暢的一次。

2 也許由於分量少，兩個孩子把碗吃得乾乾淨淨，連湯汁都不剩一滴，吃完了，哥哥攙著妹妹的手，驕傲地要我去「檢閱」。

3 家裡只剩一包生力麵了，哥哥和妹妹爭著想吃。做父母的只有主持正義一人分半碗。

4 只要我們立志快樂，貧窮和缺乏也自有其情趣。所羅門王的箴言書中說：「吃素菜，彼此相愛，強如吃肥牛彼此相恨。」

5 「你看，」他指著光溜溜的碗說：「我們是生力麵吸塵器。」

（選自張曉風《詩詩、晴晴和我》）

段落順序的正確答案，見P.041

建議二：多讀故事、多練習寫故事。

故事是最容易吸引人的一種文體，這不僅因爲它有推進的情節，而且環環相扣，轉折分明，很適合作爲一種思路推衍的活教材。

在各種文體——記敘文、抒情文、論説文和應用文中，記敘文的應用最廣泛也最普遍，剛開始的時候，不妨自己編寫一些有因有果的「爲什麼故事」。

譬如有個小朋友寫：「從前鯊魚是沒牙的，後來看到了別的動物有牙他也想要，就拿貝殼當牙，他有一天游得太快碰到了石頭，把牙刺到肉中而且更尖，從此鯊魚更愛現更凶惡了。」

這篇短文不超過八十字，基本上只能算是一個成型的粗胚，不但標點符號不清楚、有錯字，而且在邏輯上也欠清晰。

那麼，我們正好可以試著「全面修正」，再做進一步的思考：

▼為什麼鯊魚看到別的動物有牙，自己也想要？

▼鯊魚用什麼方法拿貝殼做牙齒？什麼貝殼適合當牙齒呢？

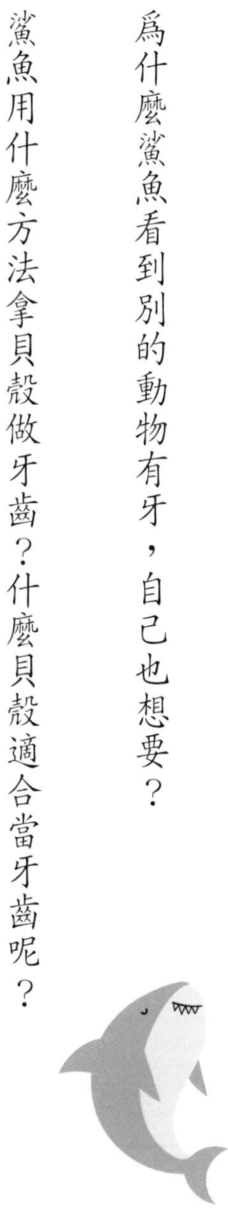

▼「把牙刺到肉中而且更尖」是什麼意思？可以解釋得更清楚一點嗎？

▼鯊魚沒有牙齒前就很「愛現」和「凶惡」嗎？爲什麼說，有了牙齒以後「更愛現、更凶惡」呢？

如此一來，故事的血肉不就活生生地呈現了嗎？段落不也就自自然然地「水落石出」了嗎？

所以，練習寫作的時候，如果不斷多想一點，想深一點，往往有意想不到的收穫。因爲想像力是我們與生俱來的潛能，最容易「開採」，也最方便激發。

在這方面，不妨多參考各種「極短篇」，或是一些掌中小品、八百字小語、短篇偵探小說，也都有助於大大提高我們寫作的能力。

建議三：寫作雖然沒有字數的限制，但就一般初習者的能力而言，一千字上下應是正常限度。

麻雀雖小，五臟俱全，仍是有一些原則需要注意：最重要的是抓住重點，注意文題的範圍——文不對題、東拉西扯或天馬行空，

是一般人作文的通病，所以訂定題目以後，要學習在「一個範圍內」思考問題。

譬如我們寫一本書的讀後感，通常涵蓋的範圍不外是：

1 這本書的內容是——
2 這是一本好（壞）書嗎？
3 它好（壞）在哪裡？
4 所以我們應該（或不應該）看？

你看，思考出來的問題或答案，不又是一種自然的段落嗎？而當我們把它一一列成綱要，寫在草稿紙上後，就可以排列出一個先後順序來了。

列出綱要，可以說是把一篇文章的骨架搭好了，骨架上面，總得要覆上肌肉。

正常肌肉的發展是均衡的，各有比重。

當你寫一篇一千字的「一本書的讀後感」時，總不會用掉六百字來說明這本書的內容吧？否則，剩下的那四百字如何分配給 2 3 4 的提綱？豈不是頭重腳輕了嗎？

所以一千字讀後感，頂多用兩百來字把書的內容介紹清楚，因為討論優、劣，才是這篇文章的重點，理應著墨較多；至於結論，字數比開頭多些少些都無妨，卻不宜超過說明的部分，以免顯得「尾大不掉」。

建議四：收集材料。寫好一篇文章，總要找一些證據、一些事實來支持自己的看法，一個小故事啦，一段小描寫啦，一些金玉良言或史實典故啦，都有賴平日的多聽、多看、多感覺、多收集各種資料。

可是有一點很要緊的，就是別一下子弄了太多的資料，心裡捨不得，就東寫一點、西寫一點，零零碎碎的，成了一個吃不飽、餓不死，看似豐富其實毫無內容的大拼盤，反而抓不住重點了。

寫作小筆記

寫作貴在誠實、誠懇、放得開。

收集材料同樣也要懂得「割愛」，無關主旨的，離主旨遠一點的，一定要捨得「斬草除根」，只留下最集中主題的一部分，這就叫作「剪裁」。

剪裁後的材料，分門別類，一句一句地寫，一段一段地分，只要明白清楚，不論是分成兩段、三段或四段，嚴格地說，也沒有一個真正的標準答案吧？

〈我們是吸塵器〉段落順序答案：3 2 5 4 1

借光

我爲什麼喜歡寫散文?原因很單純。

散文對我來說,就是「寫生活」,生活中就地取材,如同撿拾滿地的珍珠。等我「百年之後」,這大半生中所寫的散文就等同於「自傳」了。

從二十歲那年出版第一本散文作品《裁冰集》以來,出版了近百本作品,也可以說是很用心地寫了近五十年的生活手札!

很多作家都說,小學生要提高語文能力,最好從日記開始,這種建議我不反對,只是覺得日記是不宜「就教高明」的,寫得好不

好，是不是綠豆芝麻瑣碎零星加無聊，沒有人指點啊！因爲日記畢竟是「自己寫給自己看的」。

中學時期，到了叛逆期，由於家教嚴格，我便利用日記來發洩各種「不滿的情緒」，沒想到爸爸「偷看」了我的日記；更不妙的是，我在日記裡三天兩頭批評他專制、霸道、暴躁、不民主、不講理⋯⋯。完了！爸爸氣得嘴巴都歪了，罵了我三天三夜。從此我發誓再不記什麼勞什子日

記！日記，本來就應該記下自己最真實的喜怒哀樂，這可是「人權」的第一步呀！

不寫日記我也難過，總要寫點什麼嘛！誰讓我腦袋瓜裡有那麼多想法。於是，我把日記本移作他用，開始寫起詩來了，收集起各種名言佳句來了。

一本厚厚的日記本，儼然成爲我作文時的「靈感簿」，適時摘上那麼一、兩段「雨果說」、「泰戈爾說」，再煞有介事地點評幾句心得感言，我不禁沾沾自喜，自以爲「與大師同行」，不亦樂乎！

寫著寫著，我又漸漸明白，作文時光靠「名家護航」是不夠的，在「孔子說」、「孟子說」之後，總應該有點自己的想法和說法吧？可是當時我年紀那麼小，生活範圍又有限，所有的想法，不是來自「老師說」、「爸爸說」、「媽媽說」就是「課本說」，幸好有爸爸書架上那一排世界各國文學家的幫忙，連曹雪芹、羅貫中、李白、李清照、莎士比亞、大仲馬、羅曼羅蘭都曾幫我「背書」呢！

這時候，不向大師借光，向誰借光啊？（我打賭這些老爺爺、老奶奶是不會反對的。）

《生命的支點》是翻譯家王壽來教授的著作。基於個人興趣，作者數十年來，收藏了大量英文語錄，翻成中文以後，摘取精華，不但介紹世界名人的智慧語錄，還加以詮釋，深受讀者歡迎。

大約從中學時期，我就受到這一類風格書籍的吸引，也開始陸續收集世界名人語錄，除了擷取精華當成爲人處事的一面鏡子以外，同時在寫作的時候適時引述一些名家智慧語言，並加以詮釋，更以自己爲例，說明受到的影響和得益之處。這也是一種寫作的技

巧，常有「錦上添花」的效果。只是舉例不宜多，就像淡淡的花香，饒有餘味。

譬如：「自信是走向成功的第一步」，就是我從中擷取的一則座右銘——你想，如果，一個人連自己都不相信了，還能期待別人相信你嗎？

王壽來先生翻譯的名人精華語錄我收集不少，但作者不僅是摘錄名人精華語錄而已，而是藉由一篇篇入情入理的小品文來詮釋精心選譯的世界名人語錄。

因此我也建議小讀者除了閱讀好書，最好也養成書寫「閱讀筆記」的習慣，只要記錄下你欣賞的文字，哪怕是一句含有哲理的名言、一小段優美的文字甚至一首令你感動的小詩，都有助於提升自己閱讀後的感受能力和審美品味呢！而在寫作時適時引用，還能「錦上添花」增加文章的「氣質」呦！

「向前輩借光」在提升語文能力中，其實是一種很正常、很自然，也很必要的學習方式。

「熟讀唐詩三百首，不會作詩也會吟」，說的就是這種「潛移默化」的道理。何況，語文學習也是一種思想的學習，「聽」、「說」、「讀」、「寫」都應包括在內，也都可以活用在日常生活

待人接物中。儘管魯迅先生有一句話深得我心：「指點做法，非我所能，我一向寫東西如廚子做菜，做是做的，可是說不出手法之類。」

可是作爲一種心得交換，我就坦白地說，我們還是先從「借光」開始好了。

寫作小筆記

反覆朗讀自己的作品，也試著朗讀給你的親人、朋友聽，說不定可以得到中肯的意見。順暢、順口是測試一篇文章是否合格的基本條件。

寫日記的方法

寫日記可以提高作文能力。

怎麼寫日記？先從「觀察」開始。

竹籬笆上盤繞的紫色喇叭花、屋簷邊吱吱喳喳聊天的小麻雀、院子裡繞著圈圈追尾巴玩的小狗阿烏、玩具籠中上了發條的彩色八哥、扔在沙發上兩眼發直的毛毛熊要真實得多？為什麼？因為子，是不是比花瓶裡的紙玫瑰、它（牠）們是「活生生」的、有變化的生命！

「變化」是「觀察」之寶。

「變化」，是一條彎彎曲曲的生長線，由短到長，由細變粗，由無聲至有聲，如果你順著這條「五線譜」一路往前記錄這變化的過程，就會發現其中的奧妙。

首先，讓我們來觀察一天中的「變化」。從起床那刻開始到睡前那刻結束，想想看，你都做了些什麼事？說了些什麼話？看見、聽見了些什麼？又發生了些什麼？

當我們一旦決定以日記這種形式作爲「寫作」的開始，很顯然的，早已經累積了不少「生活經驗」，熟知了許多「周而復始」的習慣和動作；當然，這裡面也包括了天天相處在一起的家人、老師、同學，甚至小貓、小狗和小樹苗。

一天結束之前，是寫日記的最佳時刻。翻開日記本，寫上日期，提起筆來，在悠揚的韋瓦第C大調短笛協奏曲中（我的意思是，靜夜聆聽音樂，心情會好極了），你開始進行「過濾」的工作——扣掉八小時睡眠，剩下的十六小時，總會有一、兩樣值得回味的事情吧？

是什麼呢？上美術課，畫了一張得意之作？發數學考卷，被老師翻了個白眼？妹妹過生日，媽媽烤了一個香噴噴的巧克力蛋糕？還是，看了一本有趣的童話《十一個小紅帽》、一場恐怖電影《雙瞳》？或者，和你的新朋友line來line去了十八個回合，或是比較究竟《神祕的魔法石》好看還是《消失的密室》好看？漫畫版《丁丁歷險記》精采還是動畫片精采？

一天中總有不只一、兩件挑動你情緒的事物。高興、生氣、難過、害羞、羨慕、妒嫉……，有一種遊戲叫做「連連看」，寫日記也是一種連連看：事件——發生經過——細節——感受，依序寫下，相互連結。一篇日記就寫一件事，媽媽怎麼做蛋糕？用些什麼材料？烘烤的時間，蛋糕的顏色、形狀、味道，妹妹吹蠟燭的神情，爸爸祝福的話……。如果你決定當天日記的內容主題是〈妹妹生日〉，你可以開始動筆了。

哇！當你提起了筆，自己會被自己嚇一跳：怎麼這麼多「字」跑出來啦？

寫作小筆記

寫作是感情的流露，如果你願意用文字傳達真實的感情，寫出來的文字就能感動別人。

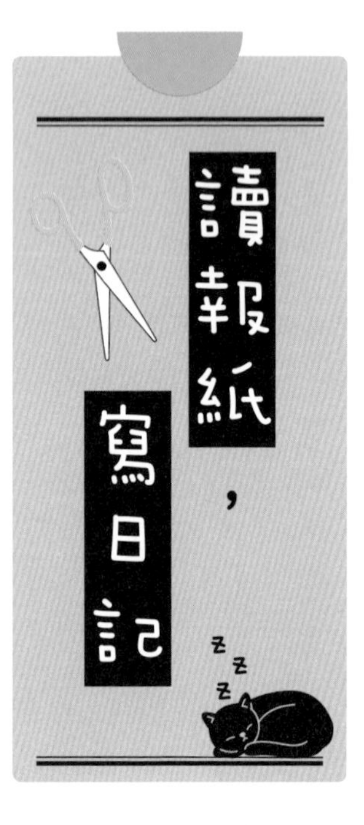

花園裡飛來兩隻鳳尾蝶，妹妹朝著其中一隻喊：「梁山伯！」我接著用手一指：「祝英台！」

看過《梁山伯與祝英台》的人大概都記得，這是「有情人終成眷屬」中的最後一場戲「化蝶」，蝴蝶就是男女主角的化身。

報紙上說，四十年前由超級紅星凌波、樂蒂主演的這部黃梅調電影，二〇〇二年十二月又在邵氏電影節「黃梅調和武俠經典」中登

場；此外，古裝劇也在台北、台中和高雄演出。二〇〇三年元月，《梁山伯與祝英台》更搬進國家劇院，由凌波、胡錦主演（樂蒂已過世）。

哎，我這個資深影迷，這下子可以「重溫舊夢」了。要知道，那一聲「梁山伯與祝英台，天公有意巧安排」，當年可是「打造」了多少凌波迷、樂蒂迷；早在半世紀以前「萬人空巷」爭睹「梁兄哥」風采的影迷，是絕不輸給現今瘋狂的追星族的。

今天的報紙，明天的歷史；報紙提供給我們的，是一個大千世界的縮影。世界上發生的許多事情，經過許多專職者過濾、選擇、採訪和編印，呈現在讀者眼前。報紙成爲「資訊小百科」，一個接通我們和世界連線的窗口，這裡頭沒有深奧艱澀的學問，每一則內容多用通俗標準的語句，盡量讓你清楚明白地「看得懂」。

中學開始，除了課外書籍和雜誌，報紙是我每日必讀的精神食糧。

我從報紙上認識很多響噹噹的「名人」，這些名人裡，電影明星確實占了很大的比重，沒辦法，誰叫我是一個十二、三歲，正處於青春偶像崇拜期的小女生呢！

爸爸也喜歡看電影，他常年在香港出差，就將《星島日報》彩色版上的明星照剪下來送給我：馬龍白蘭度、約翰韋恩、奧黛莉赫本、費雯麗，當然還包括漂亮的中國女明星李麗華、林黛、葉楓、尤敏和葛蘭。耳濡目染，有關這些俊男美女的「八卦」，我也興致濃厚哦！

不過，爸爸總是建議我看報紙應多讀副刊和社論。

爸爸說，養成讀報紙的習慣，可以增加一個人的常識和見聞，既然我喜歡寫作，報紙裡的各種內容更可以充實寫作的題材。多讀副刊，增進文筆；多讀

方塊、社論，培養思辨能力；至於影劇版嘛，不妨多參考影評，成功的大明星可不只有健美的身材和漂亮的臉蛋。

爸爸的建議很管用。我在求學時期，什麼作文、日記、週記都難不倒。因爲「祕密武器」乃《聯合報》是也，想不出寫什麼才好，就開始翻報紙找靈感，引上新聞幾段，加註心得幾行，儼然是「萬事通」，頗自得其樂，得到老師誇獎的評語也不少呢！

報紙也是一齣「連續劇」，天天讀報，讀出了許多事件的前因後果、來龍去脈。讀得通透了，就有了那麼點「秀才不出門，能知天下事」的自信感；漸漸地，爲了資料取用的方便，我開始剪報了，一本本包羅萬象的剪貼本於焉誕生，也染患了一種喀喳喀喳的「手癢症」。最後，全家人都嚴正警告：「今天的報紙，明天才能『剪』！」

讀報紙的樂趣不只是增進「作文能力」，它讓人知道昨天的世界、現在的世界和預知未來，讓我們有了新的期待和盼望。

報紙真正的價值是讓我們擁有「知」的權利和「知」的財富；一份權威報紙隨身，彷彿「與世界同行」，沒有被隔離的恐懼感，也沒有與現實脫節的疏離感。這一個個黑字，實實在在地印在白紙上，裡面那個生龍活虎的世界，正等著我們去「狩獵」呢！

寫作小筆記

寫作與閱讀是並行的。養成每天閱讀的習慣比養成每天書寫的習慣還重要。閱讀什麼？閱讀報章、雜誌、書籍之外，也閱讀「生活」。只有體會生活的人，才能體會生命。寫作即是記錄生命過程中發生的一切人、事、物。

愛你的生活，你將發現，題材源源不絕，人間處處有驚奇！

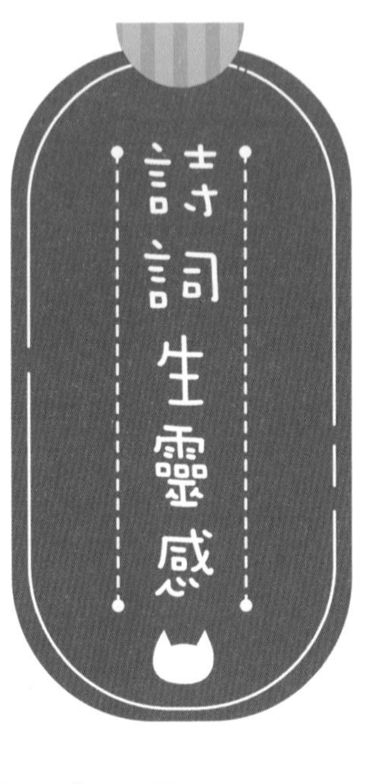

中學時期，記憶中最深刻的一幕，就是爸爸屢屢推開房門，皺著眉頭問：「一天到晚寫，寫，寫，你到底在寫些什麼？有什麼東西這麼好寫的？」

「把書讀好最重要，成天『鬼畫符』，不如把時間留出來背英文單字，做數學習題！」

爸爸一路搖著頭走了，我卻朝他的背影做鬼臉，繼續靈感大發現，繼續那即將完成的「偉大傑作」。

「你爸爸認爲，搖筆桿討生活的人，不但辛苦，而且很難有大出息。他還是希望你正正經經把心思用在學業上，不要夢想當什麼『作家』。」

被派來當「說客」的媽媽，帶著一點憂慮的表情又重複了一遍：「你爸爸要我問清楚，你一天到晚寫，寫，寫，到底在寫些什麼呀？」

哎呀，太多可以寫的啦，爸爸！

當我坐在窗前的月光下，看著樹影在風中搖曳，李白的那首：「長安一片月，萬戶擣衣聲。秋風吹不盡，總是玉關情」就不禁迎上心頭，這時候，手就癢癢的，很想寫點什麼，哪怕是寫寫月色，寫寫小溪，寫寫風聲，寫寫遠村傳來的狗吠聲，心情也會變得很美好。

走在放學回家的途中，看見那個紮麻花大辮子的小眼睛婷婷，和那個大腦袋大鼻子的阿牛，一路追著跑著打著鬧著，很自然的，又想起「妾髮初覆額，折花門前劇；郎騎竹馬來，繞床弄青梅；同居長干里，兩小無嫌猜」這樣的詩句，於是，泉水般的靈感又湧了出來，拿起筆，又想寫寫那個拿死蛇嚇妹妹的小嚕嚕；寫寫小元元，那個故意把冰水潑在我木屐上的搗蛋鬼；還有小真，她喜歡阿海，作業本子裡塗滿他的名字。

當「國破山河在，城春草木深，感時花濺淚，恨別鳥驚心」的廣播劇主題曲〈春望〉，從收音機裡悲壯地傳出來，我彷彿看到兩鬢發白的杜甫，雙手交疊背後，站在破敗的牆垣上，眼中含著淚光，思念著家鄉的親人，渴望收到比黃金還貴重的家書……。這又讓我興起寫一篇小說的念頭，小說中的男主角，十五歲那年被迫從軍……。

少年時期，有事沒事最愛翻看唐詩宋詞，有時輕聲吟唱，有時大聲朗誦，讀到「抽刀斷水水更流，舉杯消愁愁更愁」，便生出一口飲盡黃河水的豪情；讀到「來如雷霆收震怒，罷如江海凝清光」，就渴望自己能舞一回劍；讀到「嘈嘈切切錯雜彈，大珠小珠落玉盤」，便想像著一個猶抱琵琶半遮面、如花似玉的美人兒；讀到「春風桃李花開日，秋雨梧桐葉落時」，又彷彿看見白玉一般容顏的楊貴妃，一縷幽魂在馬嵬坡前飄盪……。

心裡有那麼多奇妙的感覺，如奔流的瀑布，想找一個傾瀉的缺口。一疊稿紙一枝筆，正可以使我盡情在想像的天地裡浮沉。

而這種因為讀詩引發我不斷「寫寫寫」的「罪魁禍首」是誰呢？

是爸爸您！

記得小學一、二年級的時候，每到晚餐過後，您就把我喚到書桌前，打開一本《唐詩三百首》，在黃澄澄的溫暖的檯燈下，讀一句「長安一片月」，就要我跟著念一句；一首詩讀完了，開始一個字一個字地解釋，遇到了生字，就在字邊上用鉛筆注音（爸爸的注音符號是自修學的，所以常常「注」錯，我也就跟著念錯）。

就這樣，年復年，月復月，讀完了全本唐詩，繼續讀宋詞、《白香詞譜》、《李清照詞選》、《朱淑真詞選》……。您從來不拿大道理來訓示我讀這些詩詞有什麼好處，我也就自自然然，在沒有任何壓力的狀況下，乖乖聽命。那些詩啊詞啊，就這樣輕輕地、靜靜地流進了我的身體裡，攪蛋器似地攪哇攪，使我對世間萬物產生了無數的、像針尖般微細的奇妙感受，使我的心時而像夜鶯抖動的翅膀那麼輕靈，時而像深海中的岩石那麼堅韌，時而像叢林中獵豹的眼睛那麼銳利，時而像綻放在晨曦中的玫瑰花瓣那麼溫柔。多情而含蓄，平和而勇敢，莊嚴而活潑，詩在我的成長過程中，薰陶了我的人格，提升了我的性靈。而更重要的是，詩和詞的語言使我對文字產生強烈的感應，因為從詩和詞的國度裡認識了音韻、節

奏、無限自由的美和無限想像的空間，而這一切的一切，最要感謝的第一人是爸爸您。

雖然直到今天，您還是不時地問上一句：「你，你，你，一天到晚寫，寫，寫！到底有什麼東西這麼好寫的呢？」

寫作小筆記

重視細節。
粗枝大葉、
神經大條，
不適合寫作。

誰是最佳模特兒

打從上小學開始，課堂上作文題目就毫無例外的出現了：「我的家人」、「我的同學」、「我的鄰居」、「我的……」，這一類讓人大呼「無聊！無聊！」的題目。

照理說，家人、同學和鄰居，都是日常生活中最常接觸到的，既然「手到擒來」，下筆應該容易些才是，可是爲什麼老師一出這類題目，我們還是一樣搔頭抓耳，急得哇哇亂叫呢？

也許，這就是俗語說的「眼大不見山」吧？那些生活在身邊的人，譬如爸爸、媽媽、爺爺和奶奶，好像當我們存在時，他們就已經是一株活了幾百年的大樹，開花、結果、落葉，一切都那麼順理成章；習以爲常，久而久之，我們的神經也就痲木了、遲鈍了。

其實，老師在課堂上出這一類題目是很恰當的，這是因爲「無中生有」比較難，從實際生活中觀察、相處和體會相較之下，取材要容易得多，圍繞在四周的人，不但是現成的「寫作範本」，也是「最佳模特兒」呢！

小學時，我「最難忘的印象」之一，就是隔壁林家阿婆「吃魚的樣子」了。

林家阿婆愛吃一種俗稱「剝皮魚」的海水魚，這種魚價格便宜，魚皮是深粉紅色的，蒸熟後，剝香蕉皮似的很容易剝下來，白色略粗的魚肉蘸著醬油吃，極爲鮮甜，我們家也常吃。

阿婆吃魚的第一個「步驟」是一舉起筷子，就對準剝皮魚的眼睛直統統插入，輕輕一挑，那水汪汪、明亮亮的魚眼登時隨著一圈抖動不安、果凍似的半固體，「咻」一下吸進了阿婆嘴裡，接著，變成一粒白豆豆，跌在木桌上滾動。每到這一刻，我就更加聚精會神看著林家阿婆撿起另一邊的魚眼睛，用同樣的動作再吃一次。我感到既新鮮又恐怖。

有些人總敢吃些別人不敢吃的怪東西，魚眼睛和雞屁股在我看來都很可怕。

特殊的感覺有時是無意中發現的，有時是慢慢累積、比較後察覺出來的。以吃魚的習慣來說，我觀察過的結論就數林家阿婆吃相最「凶猛」。

不過，這個特殊的印象並沒有讓我寫成「一個難忘的人」，因爲我只不過收集了一個人不可愛的「吃魚的樣子」，但我對這個人

其他的一切可說是一無所知，當然也就不能架構成一篇以人物爲主題的文章了。

寫文章和蓋房子都應「有理可循」：爲什麼要蓋？怎麼蓋？有多大面積？給什麼人住？骨架子完成後，裡頭怎麼隔間？怎麼布置？這一個個步驟，是很綿密、嚴謹的。同樣的，當我們以人物爲主題的時候，也該這麼按部就班：他是誰？寫什麼？是描寫這人的風趣、慷慨、勇敢、慈祥呢，還是他的懦弱、小氣、自私？表現出這個人的特色又爲了什麼？

爸爸、媽媽、妹妹和外婆，常是我筆下的「第一女（男）主角」，我之所以請他們出現在

「文章的舞台」上，除了熟悉他們，更重要的是，還希望讀者分享到這些人物的可愛和可敬。

我一向避免用筆描繪醜陋的人與事，因爲愉悅和美好是我追求的一種人生理想，我知道這個世界有很多「惡」和「壞」，但是我的筆可不爲它們服務。

重視感覺。特別是一切微妙的感覺，試著用文字敘述出來。一篇作品的精髓往往在此顯現。

創造新鮮

寫成一篇文章最基本的元素就是「文字」，文字用得好，再平凡的素材也能筆下生花。

我因爲編輯兒童刊物，小朋友的投稿很多，一路讀下來，大多數寫得都還流利，表達的意思也夠清楚，可惜讀完以後，印象深刻的並不多。

想了一想，噢，原來是用了很多「成語」，不是我的爸爸「孔武有力」，我的媽媽「徐娘半老」，就是老師「不苟言笑」、姊姊「名花有主」，再不然就是我的妹妹「嬌生慣養」……。

成語好用，但要用在適當之處。用得巧，可以「畫龍點睛」，使一路淺白的文字「收緊」一點之外，也增加了「文氣」；如果用得頻繁，每隔三、五句便出現一次，不但顯得「食古不化」，還挺俗氣的。至於亂用成語或錯用成語，那就只好讓自己真的「弄巧成拙」了！

把成語換成「新鮮的生活用語」，往往可以使平常的內容增加可讀性。許多善用文字的作者，在題材的選擇上不一定特別，可是憑著一種與眾不同、運用文字的功力，寫出來的作品就是別具風味。

司馬中原是一位名作家，曾舉過一個生動的例子：

「譬如，枝頭的果子結得很大，我們若用文字去形容的話，就是『果實豐盈』、『碩大豐盈』、『鮮紅欲滴』、『垂垂纍纍』，就只這幾句話，換來換去還是這幾句話。可是我們若從生活中去找，就大不相同了。」

「有一個老兵，他種蘋果和梨，我們說：『老丁，你今年的收成不錯啊！』他用微帶山東話的口音說：『不賴吶！小的能壓斷枝幹，大的能砸爛人頭哎！』」

你看，這一句形象的對話，四個字的「垂垂纍纍」能比得上嗎？

寫作小筆記

習慣獨處。

文字的應用不是從字典裡抄出來的，多記錄四周人的言語，往往更能準確地捕捉詞彙。現代人寫現代文章，就要多用現代的語彙，創造現代語彙裡的趣味，「和現代生活打成一片」。無論「孔武有力」還是「心直口快」，要設法「變更使用」。

譬如形容妹妹的字寫得「歪七扭八」，不如說「像喝醉酒的螞蟻」或是「被瘋狗追著跑」；形容奶奶「省吃儉用」，乾脆來段「新繞口令」：「兩把藤椅一坐四十年，一條抹布縫縫補補又三年！」

當然，我們也可以把「眉清目秀」說成：「一頁小小的鋼筆字帖，粗細均勻，清楚乾淨。」就算不用四字成語，一個「高個子」說他像「大王椰子」，一個「矮冬瓜」形容成「酒瓶椰子」，又有什麼不可以？

從感覺裡來

許多作家都把自己之所以喜好寫作，歸功於從小養成的閱讀習慣，我也不例外。我甚至認爲，這世界上每一個從事文字工作的人，都深知閱讀的重要和享受閱讀的樂趣。

不過，我現在要講的「閱讀」，不只是用眼睛看白紙上的黑字，而是善用我們的感覺器官來閱讀這個美麗的世界。閱讀什麼？閱讀生活裡的點點滴滴。眼睛看、耳朵聽、鼻子聞、舌頭嘗、動手做、用腳走。

譬如讀書、看展覽、唱歌、跳舞、畫畫、彈琴、打球、游泳、登山，乃至幫媽媽做家事、爲爺爺奶奶跑腿；哪怕是看電視、聽收音機、打電動玩具、養小貓小狗、種花除草，都是一種廣義的「閱讀」。

我有幾次到小學裡和小朋友談話，他們最好奇的一個問題是：「您寫作的靈感哪裡來？」

「從感覺裡來。」我這樣回答。

我的好朋友孫晴峰曾寫過一本書：《炒一盤作文的好菜》，她教小學生作文的基礎就是從「感官訓練」開始，也就是剛才提到過一個人要會善用「視、聽、嗅、味、觸」這五種感官來增進自己的感覺能力。

小時候，我最喜歡「自己和自己玩」，因爲我覺得很自在也很自由。其中一個遊戲就是「調色」。一盒水彩、一枝毛筆、一只調色盤、一疊畫紙、一小桶水，我就可以興致勃勃地花上整個週末來研究色彩的變化：紅色加黑色；紅色加綠色；紅色加黃色；紅色加白色……究竟會變成另外一種什麼顏色？

我也喜歡在媽媽的養雞棚裡看來亨雞和蘆花雞怎麼啄米喝水，牠們拉的屎看起來真像煮爛的綠豆！而那些剛從蛋殼裡孵出的小雞，總是擠在暖暖的燈泡下互相踩來踩去吵個不停，活像毛絨絨的黃色小粉撲……。

我還喜歡跟蹤一隊螞蟻搬運的路線，爲一隻黑狗和另一隻白狗的決鬥加油。反正這些遊戲不花媽媽一分錢，我玩得真開心。

記得有一天放學，媽媽外出不在家，我就蹲在家門前的小河溝看大肚魚游泳。忽然，我嚇了一跳，就在石頭縫的黑洞洞裡，伸出

五個頭一吞一吐的！什麼頭？小花蛇的頭！五條小蛇在做伸脖子體操。我看呆了，既害怕又好奇，愈看愈覺得噁心，愈噁心看得愈入神，直到媽媽在我頭頂上大喝一聲，我才如夢初醒。

作家、藝術家因爲善於觀察、感覺，往往可以把尋常事物描繪得活靈活現。你能形容一片銀杏葉的形狀嗎？柏油馬路被烈陽晒融踩上去的感覺是什麼呢？雨後，小水珠落在蜘蛛網上的樣子知道嗎？

在初習作文的時候，一篇文章頂多寫個七、八百字，大道理一時裝不下也說不出，不妨就從小處著手吧。

名作家林良爺爺生前寫過一篇〈螞蟻和我〉，其中有一段描述一隻離群的螞蟻：「牠長得並不好看，有一個腦門兒，臉是瘦長的。兩隻大眼睛，像近視眼那樣地露出茫然的神色……；六條細腿，不知道是按什麼樣的順序，踩動不停。」

生動細緻的描寫是多麼有趣啊？我們何不就從觀察一隻小螞蟻開始？

寫作小筆記

有恆。

法國作家德梅斯特在他年輕的時候，寫過一本奇特的遊記《斗室之旅》，這本書描述的是他在自己家裡「旅行的經過」。

一開始，德梅斯特把門鎖上，換上一套粉紅和粉藍相間的睡衣，在沒有行李的負擔下，他先來到沙發，也就是客廳裡最大的一件家具。這趟旅程使德梅斯特拋開平常的倦怠，以新奇的雙眼注視這張沙發，發現了前所未見的特質。他讚嘆沙發椅腳的優雅，回憶起自己在椅墊上蜷曲的時光，夢想愛情和前程。接下來，他的目光由沙發轉移到床：床單和睡衣的顏色搭配得很好，他認爲這樣的色彩可以使人寧靜、快樂，改善睡眠品質……。

當我讀到這兒，目光不禁由書頁轉移到置身的書房四周。說實在的，我幾乎不曾好好地、仔細端詳過每一件書房裡的陳設，包括天天坐著的這把會旋轉的紫色椅子。這椅子硬邦邦的，理應放在辦公室裡，我尤其不喜歡它滑梯似的扶手，加上兩邊距離又很寬，兩手難得擱上去休息。不過，人是一種「習慣性」的動物，一坐十幾年，也坐出感情來了，難怪德梅斯特注視著他的沙發時，心裡充滿了感恩之情。

德梅斯特的《斗室之旅》透露出什麼訊息？其實他當初寫這本書是想推薦一種「既不花錢又不費力的旅行方式」，因爲地點就是自己家嘛，從第一個房間遊走到第二個房間，如果認真仔細地把玩、回憶、端詳每件東西，哪怕一個紙鎮、一副眼鏡、一疊稿紙，背後都有無數的故事可以回味呢！

事實不然，德梅斯特真正的寓意在於一個人是否對生活周遭的一切感到興趣，並且加以細微地觀察和感受。

繼《斗室之旅》，他又寫了一部續集《斗室夜遊》，記錄自己走到窗邊，抬起頭來凝視夜空：「能享受這種景觀的又有幾人？」

外國的月亮比較圓？是不是大多數的人以爲，只有離開自己熟悉的環境才可能有「新發現」？德梅斯特的文章讓我很感動，他只不過借《斗室之旅》來提醒那些麻木的心靈，不要辜負美好人生中的點點滴滴，哪怕是一葉小草的顫抖，一根貓鬍鬚的刺探，都是有趣和充滿意味的呢！於是我寫出了〈你一定會聽見的〉這篇小文。

寫作小筆記

紙、筆、字典及隨身之物，這是寫作者的基本配備。

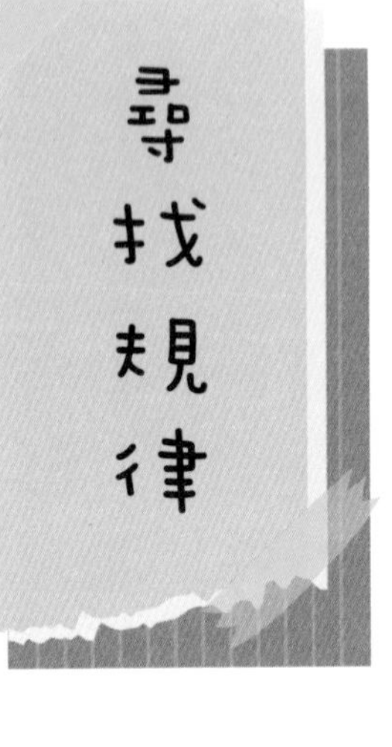

最近換了辦公室，所有的設備幾乎都是新的。

新書櫥、新電腦、新桌椅、新傳真機、影印機、打印機……。新的感覺真好，有一種「當太陽從東方升起」的新鮮和活力，精神也不禁爲之一振。

這些新東西一開始都是乾乾淨淨、漂漂亮亮，件件都像穿上新衣要出門喝喜酒似的。

可是，我們這些做主人的，又是怎麼接待這些貴客呢？

就先拿書櫥來說吧，不錯，書櫥是嶄新的，書櫥的肚子裡卻橫七豎八塞滿了資料夾、文具、紙張、膠帶、零食，甚至連皮包也塞了進去！

辦公桌更是「熱鬧」，除了必備的電腦之外，堆置的都是喝空的咖啡罐、礦泉水空瓶和縐巴巴的衛生紙。我看著這些東一攤、西一攤，亂七八糟也不好好整理的東西，少不得要講幾句「公道話」。

只是這種應該從小養成的生活習慣，一時也很難改正，我只好在同事的書櫥玻璃上貼一張美麗海報遮醜，趁他們外出的時候趕緊扔掉桌上的空罐和垃圾……。

說到這兒，我又要再一次感謝爸爸從小對我們的教養了。

爸爸離世至今已近二十年了，他這一生中最爲人稱道的美德，就是講究秩序與整潔。

「做人要守規矩」、「生活要有規律」，這是我們的家訓，我早就聽得耳朵長繭啦！

印象最深刻的是，爸爸退休後，每日上午，八點一刻準時出門（他爲自己安排了很多事情）；中午十一點四十五分，媽媽準時端出熱騰騰的飯菜，擺好碗筷；十二點整，叮咚！我照例開門恭迎「鬧鐘爸爸」回家。

爸爸「守時」的習慣，其實也就是以「守信」爲基礎的生活準則。他向來做人處事是一板一眼的。爸爸還常說「要活就要動」，所以他儘管閒著，也還是會拿罐噴霧殺蟲劑在牆角、櫥縫殺殺蟑螂、蚊蟲，來個出其不意的突襲。

在這樣的家庭環境中成長，使我感受到秩序和規矩給人帶來的好處：做事有條理，可以節省很多不必要浪費的時間和精力；做人守規矩，就意味著「安全」和「穩定」。

火車出軌不就容易翻車嗎？在我們還沒有能力開創出一條又穩又好的新軌道之前，「規矩」和「紀律」，往往是一個人生活中最好的保障。

許多同學寫作文時，總說找不到可以寫的題材，其實，題材就要在生活裡找。

日子看似平淡，平淡裡一樣有真情，我們不妨從平實的生活中著手，日積月累，總會從各種零星的事件中歸納出一種規律，這個規律，觀察得愈仔細，感受就愈深刻，下起筆來，也就愈真實和自然了。

寫作小筆記

閱讀對寫作者來說，將不再僅是一種欣賞與享受。在作品字裡行間，我們進行的是一種尋寶的歷程，細細琢磨與品味，必將有豐富的收穫。這收穫是什麼呢？自然就是：同樣一個物件，他爲什麼這樣描述呢？同樣一種心情，他爲什麼這般感受呢？同樣風、花、雨、雪，所呈現的角度，又何以如此與眾不同呢？用心分析，學習必有進步。

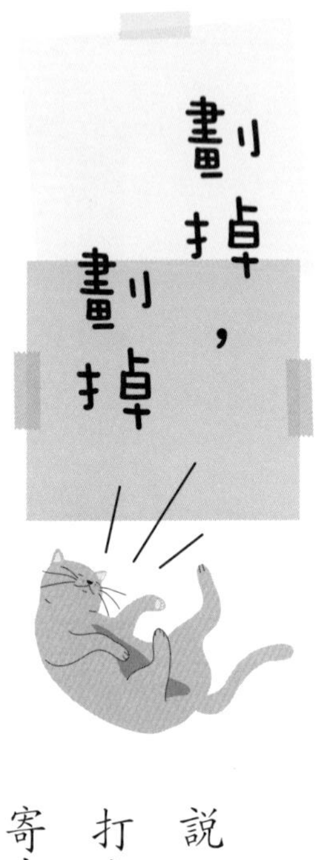

有一位作家朋友很自豪地說，他寫稿一向很少改動，通常打上最後一個句號，就直接投郵寄出，登報或出書後，也不再看了，因爲他忙著「向前走」。

這在我是做不到的，因爲沒有這個膽量。

我寫文章的態度很像參加大專聯考，非得撐到最後一秒鐘才交卷出場。對於剛出爐的熱騰騰的稿子，也非得等它「涼透了」才敢送到編輯手中。

不過，我的「草稿」則是另一種「天書」，因爲常做調動、刪修，因爲一直在「大風吹」，就不敢用電腦增加自己的麻煩。何況我喜歡「寫字」，邊想邊寫，對「熟能生巧」也頗有幫助，據我所知，自從有了電腦的現成字以後，很多人一旦提起筆來，甚至連筆畫都忘啦！

重讀自己文稿最大的發現，就是通篇贅字太多（其中難免也包括錯別字），首先是「我我我我我」，然後是「的的的的」，至於「了了了了了」也少不了，這些字好像免費大贈送，要多少給多少，自己看了都臉紅。

我曾經在學校做過十年老師，國文、歷史、採訪寫作都教過。上作文課，我這個老師就統計出同學共有的一種通病，即明明說的是自己，卻不斷地加上「我」呀「我」的；至於「啦」、「嗎」、「啊」、「吧」、「哦」這些語尾助詞，更是拖泥帶水到「族繁不及備載」。由於教作文的經驗，使我也注意到自己的「文字口頭語」，最好能免則免。

劃掉，劃掉！清除了這些贅字，文章重讀一遍，果然乾淨得多了。這是一種理完髮神清氣爽的感覺。

一篇文章寫得「簡練」，不單是去掉贅字，還應該包括重複、多餘的字句和意思。譬如寫「我妹妹」，光是「可愛」就出現兩次，「調皮」就重複三次，這可得注意。最好的呈現方式，應該把可愛、調皮的行爲和話語具體描述出來，當閱讀的人自己得出一個「可愛」、「調皮」的結論，就是好文章了。

我寫〈阿妹〉這篇文章的時候，就想寫一個與眾不同、「愛哭的妹妹」。我只有一個妹妹，從小好哭，爲了使她「安靜」，爸爸媽媽總要我「讓讓」，什麼好吃好用好玩的，我都得「讓讓」。

我不過比妹妹大一歲，也是個年紀很小的姊姊，就不肯吃虧，兩人常爲一點小東西搶來搶去，仇人似地爭個你死我活。這個姊姊還十分「陰險」，知道妹妹好哭，就常用話語去激怒她，或作勢打她一下。妹妹脾氣很大，動不動就生氣，一生氣就哭，我為了氣她，就故意在她哭的時候大笑，恨不得把她給「氣死」！

但是我現在長大了，早已不這麼粗魯地對待妹妹。妹妹是個多愁善感、林黛玉型的小姑娘，皮膚細白，櫻桃小嘴，笑著喊姊姊的模樣特別可愛。何況她很大方，吃荔枝、龍眼總願多分兩粒給我。要怎麼來凸顯妹妹的「可愛」呢？最後我決定把描寫她的重點鎖定在「哭」上，但一定是一篇讓人看了感覺「好哭鬼並不討厭」的文章。

這篇文章完成之後，照例多讀了幾遍，裡面描述的事件都很真實，並沒有虛構的成分，只不過，詩化的語言使平凡的生活也有了美感。而原本嚕嚕嗦嗦的細節經過濃縮，也顯出了些小品文的精巧。

我寫文章不「貪長」，主要是受了散文家梁實秋先生的一些影響。

梁先生對寫作提出了一個很重要的觀點：「割愛」，這是梁先生高中國文老師徐鏡澄給予的教誨。

在〈我的一位國文老師〉這篇作品中，梁實秋寫「徐老虎」（這是老師的綽號）最擅長的改作文法是：「用大墨槓子大勾大抹，一行一行地抹，整頁整頁地勾；洋洋千餘言的文章，經他勾抹之後，所餘無幾了。」這當然使用心寫作的人很氣餒，但經老師一解釋：「我給你勾掉了一大半，你再讀讀看，原來的意思並沒有失，但是筆筆都立起來了，虎虎有生氣了。」

「作文忌用過多的虛字」，這是寫作的金科玉律。小到一個標點符號，大到完整的段落語句，哪怕已經「嘔心瀝血」，該拿掉的還是要拿掉。

我們就從多餘的「我我我我我」和「的的的的的」開始吧！

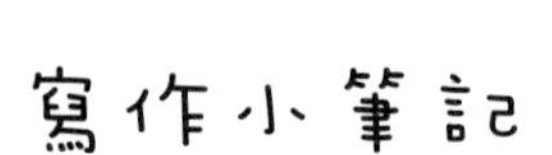

生活中要有購書的預算。擁有一本自己喜愛的書，如同擁有一個好朋友，它讓你有一種踏實、可靠的感覺，因爲它永遠不會離開你。

附錄
想貓陪你讀散文

影迷趣談

我是一個標準影迷，有一年，為了排隊購買國際電影節的早場電影，清晨五點半，我就起床出門了。五點半，還是個沒亮透的冷天呢！在平常，像我這麼會賴床的人，就算免費禮物丟在大門口，我也懶得起來撿的。

這些有關電影明星的生活動態和他（她）們相關的訊息是從哪裡得知的呢？當然是報紙的影劇版囉！中學時期，我熱中剪

報，收集報紙上刊載的影劇新聞、電影明星照片和相關故事，除此之外，還熱心收集電影說明書，裝訂成一冊一冊，當寶貝似的收藏著。

我甚至興致勃勃的寄信到香港的電影公司，索取明星親筆簽名照，外婆給的零用錢，更是全花在購買明星照片上啦！

記得初中三年級時，香港超級紅星凌波和樂蒂主演的《梁山伯與祝英台》在台北上映，造成空前的轟動，我和班上的幾個「波迷」，把片中的每一首黃梅調歌曲都唱得滾瓜爛熟，「用功」的程度，簡直不下於參加期末大考。

同學趙怡德還真有本事，居然寫信到香港，要到了幾張凌波親筆簽名照，誰叫我們是好朋友呢，她還大方的送了一張給我。結果，捧著「梁兄哥」的玉照，一邊做功課，一邊唱主題曲〈遠山含笑〉，竟然胡裡胡塗把照片夾在作業本裡了。

「書不好好讀，淨玩這些無聊東西！」導師「熊媽媽」把我叫到辦公室，很嚴肅的訓誡。

「去把英文課本拿來，背一課給我聽！」

至今我仍然記得很清楚，那一回，我把同一段英文來回背了五次，居然沒被發現呢！唉，熊媽媽為什麼不問我為什麼那麼喜歡凌波呢？實在是因為梁山伯的憨直和專情，深深的感動我啊！

還有一年，瀟灑迷人的國際天王巨星葛利哥萊畢克（我們喊他「割來割去割屁股」）到台北耕莘文教院訪問。很幸運的，我不但和他握了手（握手吔！）還得到一紙他的親筆簽名！

為了表示我的慷慨，我曾用複印紙描了幾十份「割來割去」的筆跡作為禮物送人，而把那張幾乎描破了的「真跡」給了老蔣，她可是樂得差點沒把我給「抱死」！

我欣賞葛利哥萊畢克文質彬彬的風度、正派磊落的造型，他所扮演的那些正直勇敢的角色，無形中，成為我行為的準繩。

所以說，「迷」上某個電影明星，在我們這種年齡，其實是「很有理由」的一件事，爸爸媽媽不必太大驚小怪，對不對？

子夜秋歌

「有生以來」誦讀的第一首唐詩，是小學五年級時，爸爸親自教導的〈子夜秋歌〉。

長安一片月，萬户搗衣聲。
秋風吹不盡，總是玉關情。
何日平胡虜，良人罷遠征。

長大以後，我問爸爸為什麼從小就教我朗讀唐詩、背誦古文，爸爸卻輕描淡寫地笑著說：「就當是韻律遊戲，琅琅上口，好讀好記嘛！」

這首唐朝大詩人李白著名的樂府詩〈子夜秋歌〉，經過爸爸一字一句詳細講解，並不難懂：閉起眼睛，開啟想像的翅膀，我彷彿也穿過時空，來到一千年前的古代長安城。

秋天的長安古城，明月高高掛，明亮皎潔的月光，是多麼的溫柔祥和啊！

長安城裡，傳來一陣陣河邊婦女用木棒敲打、洗滌衣物的聲音……

陣陣秋風，帶來涼意，不曾停歇；家人心中牽掛的，是遠在玉關的征夫，何年何月才能平定胡人？英勇的丈夫，又何時才能結束遠方的戰爭平安回家？

短短一首樂府詩，區區三十個字，卻似千言萬語，把內心的思念和深邃的感情盡情傾吐！

這正是「詩」的魅力，「詩」的藝術！

也是我喜愛誦讀古詩的開始。

我妹妹

阿妹很好哭，不過她是個害羞的小姑娘，哭聲像蜘蛛絲那麼細，嗯嗯嗯嗯的，不用心聽，是聽不出來的。

有什麼好哭的？爸爸被纏繞的蜘蛛絲攪得心頭亂糟糟，眉頭都可以擰出水來了。阿妹受不了啦，嗯嗯嗯嗯變成了嗚嗚嗚嗚，淚的小溪流啊流，原來就很小的眼睛就更小了，原來就很噘的小嘴就噘得更高了。

什麼事讓阿妹悲從中來？鞋帶怎麼繫都繫不好啦，出門忘記帶手絹兒啦，媽媽分配的葡萄有兩顆比姊姊的小啦，阿婆誇姊姊聰明忘了也誇獎她很漂亮啦（阿妹頂喜歡大家誇獎她漂亮），小拇指被門縫夾了一下下啦，大蓬裙上繡的

小花掉下來啦……，不管事情多麼不稀奇，都能讓阿妹認認真真、「高高興興」地哭它個老半天。

阿妹習慣坐在小竹凳上傷春悲秋。

四月清晨，一隻花蝴蝶飛來，停在阿妹的小辮子上問阿妹為啥傷心。阿妹看見搧動的美麗的蝴蝶翅膀，忘記了蚊子在手背上叮癢癢的那個小包包。她笑了。

七月午後，排著隊的小螞蟻扛著糖屑忙做工，阿妹放下捂住耳朵的小手，怔怔地發了呆。窗外的閃電和大雷把吐出來的舌頭收回去，這下可嚇不著阿妹。她又高興啦。

九月黃昏，收割後的稻田讓天更高、地更闊，阿妹揮舞著一把竹劍在田地裡飛來躍去，一不小心摔了個大跟頭，她瞇起細細的眼睛正準備哭著喊媽媽，卻望見遠山凹洞裡的夕陽，好似一大球甜蜜蜜的玻璃糖，眼淚就變成口水了……。

十二月深夜，夢中的妖怪有七顆毛茸茸的眼睛，它們發出慘淡的綠光，冷風從森森白牙裡撲出來，阿妹掙扎著喊媽媽，腳上兩隻小紅鞋的鈴鐺跑掉了一隻。

「乖乖不怕，媽媽在這兒。」阿妹兩眼迷濛著淚花一頭栽進媽媽溫暖的懷抱。大妖怪變成了紅孩兒，他腳踏風火輪，一個鷂子翻身樂得阿妹拍手哈哈笑。

那一天，媽媽帶著阿妹到公園散步，迎面走來一隻三腳小黑狗，牠的頭垂得很低很低，扁扁的肚子皮貼著皮。

「媽媽，小狗沒有腳好可憐哦，小狗肚子餓想吃東西，我們把牠帶回家好不好？」

阿妹的眼眶一點一點地紅了，兩汪淚水浸著晶晶亮的眼睛。

「媽媽，小狗沒有家，沒有爺爺、奶奶，也沒有爸爸媽媽，我們帶牠回家好不好？」

媽媽不說話。拉著阿妹的手繼續往前走。

她傷心地哭了，哭聲像蜘蛛絲那麼細……。

端端

端端是個很有耐性的小男孩，他的耐性特別顯現在「讀」和「寫」上。

當他還是個四歲幼稚園生的時候，最感興趣的一件事就是獨坐客廳一角查字典。那是一本字體清晰、附加筆順的彩色圖畫字典，自從媽媽教會他查字典的方法後，就成為他的最佳玩伴了。

「端端，來玩查字典比賽好不好？」說實在的，我只是想知道他到底和這本字典「玩」得有多熟。

「先查『叫』這個字怎麼樣？」我話剛說完，端端已經興致勃勃的翻到注音符號檢字表，ㄐ、ㄧ、ㄠ、ㄐ、ㄧ、ㄠ，只見他口中念念有辭，眼明手快的，「叫」了一聲，翻到一百五十二頁，「叫」找到了，前後不到十秒。

這簡直像變魔術嘛！「再玩一次，」我有點不相信：「這回查『笑』。」結果呢？我還沒有翻到注音符號「ㄒ」呢！端端已經找到「笑」在哪兒了。

就這樣，字典成了端端如影隨形的好朋友，再經過一段時間，他幾乎把每個字的部首、部首的發音，甚至一些常用字的位置，都記得一清二楚了。

這之後，他開始「玩」字，把牙籤折成長長短短一段一段，排成字的樣子；然後，他學著寫，手裡拿著顏色筆，一個筆畫一種顏色，畫出滿滿一張彩色字。他的「最高成就」是完成一本怪字典，每個字都是自己發明的，包準沒有一個字你認得。

端端現在已經上小學一年級了。和「小時候」一樣，他還是自動自發的喜歡慢慢的讀、仔細的寫。

一個這麼小的孩子，如果對讀書和寫字有興趣、有耐性，當然是值得鼓勵的；但問題是，端端所有的動作都慢吞吞的。慢慢的，他慢慢的漱口、洗臉、刷牙、穿衣，慢慢的吃飯、走路……。有一回，客廳地上潑溼了水，奶奶用抹布擦乾淨，端端覺得奶奶沒有擦乾，就用另一塊抹布繼續擦、慢慢的擦……直到奶奶受不了，把抹布一把搶過來說：「行了、行了！」他還不放心的說：「還有一點兒溼溼的……」。

媽媽受不了他這種「摸」的習慣，經常忍不住要生氣。

他就向奶奶告狀：「媽媽很凶的罵我，簡直是『獸性大發』！」

「那你爸爸怎麼說？」

「爸爸根本『旁若無人』！」

大家聽了都笑壞了。不用說，這就是他研究字典得來的「成果」。

由於這種獨特的耐性，端端的爸爸決定指導他寫毛筆字，「因材施教」！端端不但一橫一豎耐心學習用軟軟的毛筆學習書法，認真磨墨的態度更是「聚精會神」，好像濃稠的墨汁有多好吃似的！

「耐心」和「恆心」是端端令人稱讚的優點，這使得他每件事情都做得完整澈底，很少出錯，如果說這種表現有些什麼「缺點」，就是同輩分的弟弟、妹妹，最常聽見的一句話就是：「多向端端學習！做什麼事都要有耐心啊！」

你一定會聽見的

你聽過蒲公英梳頭的聲音嗎？

蒲公英有一蓬金黃色的頭髮，當起風的時候，頭髮互相輕觸著，像磨砂紙那樣沙沙地一陣細響，轉眼間，她的頭髮，全被風兒梳掉了！

你聽過螞蟻小跑步的聲音嗎？

那一天，螞蟻們排列在紅紅的楓葉上準備做體操，「噗」，一粒小酸果從頭頂落下，「不好，炸彈來啦！」頃刻間，她們全逃散了！

你聽過雪花飄落的聲音嗎？

一個寧靜的冬夜，一朵小小的雪花，從天上輕輕地、輕輕地飄下，飄啊飄，飄落在路邊一盞孤燈的面頰上，微微地一陣暖意，小雪花滿足而溫柔地融化了……如果你問，這都是想像的聲音嗎？我怎麼聽不出來呢？那麼我再說清楚一點吧：

你總聽過風吹的聲音吧？當微風吹過柳梢，當清風拂過明月，當狂風掃過巨浪，當颱風橫越山嶺，你總聽到些什麼吧？

你總聽過動物的聲音吧？當小狗忙著啃骨頭，小金魚用尾巴撥水，金絲雀在窗沿唱歌，當兩隻老貓在牆頭吵架，三隻蘆花雞在啄米吃，你總聽到些什麼吧？你也總聽過水聲吧？當山間的清泉如一道銀箭奔向溪流，當嘩啦啦的大雨打向屋脊，當小水滴清脆地落在盛水的臉盆裡，當清道夫清掃水溝裡的落葉，當媽媽開水龍頭淘米煮飯，當你上完廁所拉抽水馬桶，你總該聽到些什麼吧？

說得明白一些，打從你初生那一刻哇哇大哭咯咯傻笑起，你就在聽，就不得不聽。你學著聽奶奶搖搖籃的聲音，媽媽沖奶粉的聲音，爸爸打噴嚏的聲音；學著聽開門、關燈、上樓梯、電話鈴的響聲，還有弟弟被打屁股的聲音。這些，隨時在你身邊發出的響聲，你怎麼會聽不見呢？

你當然知道，聲音就是物體振動時，與空氣相激蕩所發出的聲響，而每一種聲響，每一種聲音，都代表了不同的意思。從聲音裡，人學會了分辨、感受各種喜怒哀樂，也吸收了知識。愉快動聽的聲音，固然帶給我們快樂；嘈雜無聊的聲音，也同樣使人痛苦。從聲音裡，我們逐漸成長。

人有耳朵，聽八方，加上眼睛，觀四方。用心聽，用心看，也用心想，構成了一個豐富奇妙的世界。

可是，說也奇怪，當一個人長期習慣了一種聲音或者潛意識裡抗拒某種聲音的時候，它們竟然也會不知不覺地消失。例如，路上急馳而過的汽車聲，隔壁工廠轟隆隆的馬達聲，老奶奶嘮嘮叨叨的抱怨聲，久而久之，左耳進右耳出，人，開始了聲音的「過濾」。聰明的人，知道什麼時候該聽，什麼時候不該聽，這是因為在「聽」的成長過程裡，學會了選擇和思考。聽進心裡的聲音，不僅「好聽」，也是「有益的」——這些聲音，充實了生活，增加更多的樂趣。

可是對於不用心聽又沒有興趣聽的人來說呢？久而久之，就成了「沒有感覺」的人。當大家說「好」的時候，他盲目地跟著鼓掌；大家批評的時候，他也跟著搖頭。鳥叫蟲鳴，只是一種「聲音」，即使美妙的音樂，也只不過是幾種樂器的組合。想想看，如果一個「充耳不聞」的人，對外界的一切已經無動於衷，必然也是一個「視而不見」的人了。當一個人喪失了接收「世界聲音」的能力，不就成了一個不折不扣的木頭人嗎？

你善用你的耳朵了嗎？聽見世界的聲音了嗎？用心聽，聽見了什麼？

秩序之美

美是什麼呢？

若是你問，我就這麼回答：「美」，是一種令人舒服的感覺，一種秩序，一種和諧。透過眼睛，一億兩千萬個桿狀感官細胞和七百萬個圓錐感官細胞的混合和分析，把訊息傳送到腦部，在十分之一秒內，讓你像一朵剎那間綻放的曇花，盡情舒展，感到愉悅和自在。

一疊方正的書，兩排長長落地窗，三籃毛茸茸的水蜜桃，構成了秩序美的基調；疾疾行軍的螞蟻，成群南飛的雁鵝，原野上馳騁的羚羊隊伍，也構成了美的秩序。

前者是靜的秩序，有點兒像沒有加鹽的食物。如果，書本印上優雅的圖案，落地窗有了陽光洗浴，水蜜桃籃底襯上一方小格花巾，秩序就生出了味道，不會那麼乾乾的澀嘴。

而螞蟻、雁群和羚羊，因為加了速度，便在韻律和節奏中自然產生了美感，可以說，這是動的秩序美。

靜和動的秩序，在我看來，都動人。因為無論怎麼靜和動，秩序本身就存在了穩定、沉著的美好特質。

父親是一個講究秩序的人，在記憶中，家中訂的每一份報紙，從來是按著日期、版次，整整齊齊擱在客廳長形茶几的右下角；每天正午十二點，也就是母親開飯的時刻，數十年如一日；父親如果說，星期天上午十點全家去飲廣東茶，九點五十分他穿戴好衣帽，坐在大廳沙發上，準備九點五十九分五十九秒的時候站起身來「出發」。

在這樣的家庭中成長，我很慶幸自己沒有變成機器人。其實我更應該懷著感謝說，從秩序的生活中我學會了「自律」和「組織」，也從秩序中感受了含蓄美的內涵。

一九九二年仲夏，和家人在美國沙加緬度旅行，一九九四年初夏，在日本鎌倉與友人共遊，有意無意地，在途中分別拍下了兩幅「秩序之美」。

當日，陽光高亮而空曠，一路上，行人寥寥，熱得寂寞，也熱得孤單。

不久，我發現了那些長長扁扁相互依靠的木條，那些手牽手綿延不見盡頭的橢圓木欄，它們定立在烈陽之下，顯現出一種平淡和諧，竟讓我那顆原本燥熱的心，很快地安靜下來了。

NOTE

NOTE

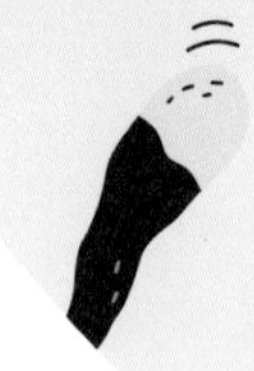

國家圖書館出版品預行編目（CIP）資料

桂文亞中小學生讀與寫引導課 1：新鮮的文字功力 / 桂文亞著 . -- 初版 . -- 臺北市：五南圖書出版股份有限公司 , 2023.03
面； 公分
ISBN 978-626-343-747-0 （平裝）

1.CST：寫作法 2.CST：通俗作品

811.1 112000543

YX1M

桂文亞中小學生讀與寫引導課1：新鮮的文字功力

作　　　者－桂文亞（493）
發　行　人－楊榮川
總　經　理－楊士清
總　編　輯－楊秀麗
副 總 編 輯－黃文瓊
編　　　輯－吳雨潔
封 面 設 計－姚孝慈
封 面 繪 圖－王宇世
美 術 設 計－姚孝慈、賴玉欣
出　版　者－五南圖書出版股份有限公司
地　　　址：106 臺北市大安區和平東路二段 339 號 4 樓
電　　　話：（02）2705-5066　　傳　　　真：（02）2706-6100
網　　　址：https://www.wunan.com.tw
電 子 郵 件：wunan@wunan.com.tw
劃 撥 帳 號：01068953
戶　　　名：五南圖書出版股份有限公司
法 律 顧 問　林勝安律師
出 版 日 期　2023 年 3 月初版一刷
定　　　價　新臺幣 320 元